MAP OF THE SOUL

PERSONA

Baby Soap
Baby Soap

Baby Soap
Baby Soap

LANDER
Baby Soa

Baby Soap
Baby Soap
Soap

Baby Soap
Baby Soap
Soap

LANDER
Baby

Baby Soap
Baby Soap
Soap

Baby Soap
Baby Soap

Baby Soap
Baby Soap
Soap

MAP OF THE SOUL

1. Intro : Persona 2'54"

2. 작은 것들을 위한 시 (Boy With Luv) feat. Halsey 3'49"

4. Make It Right 3'42"

3. 소우주 (Mikrokosmos) 3'46"

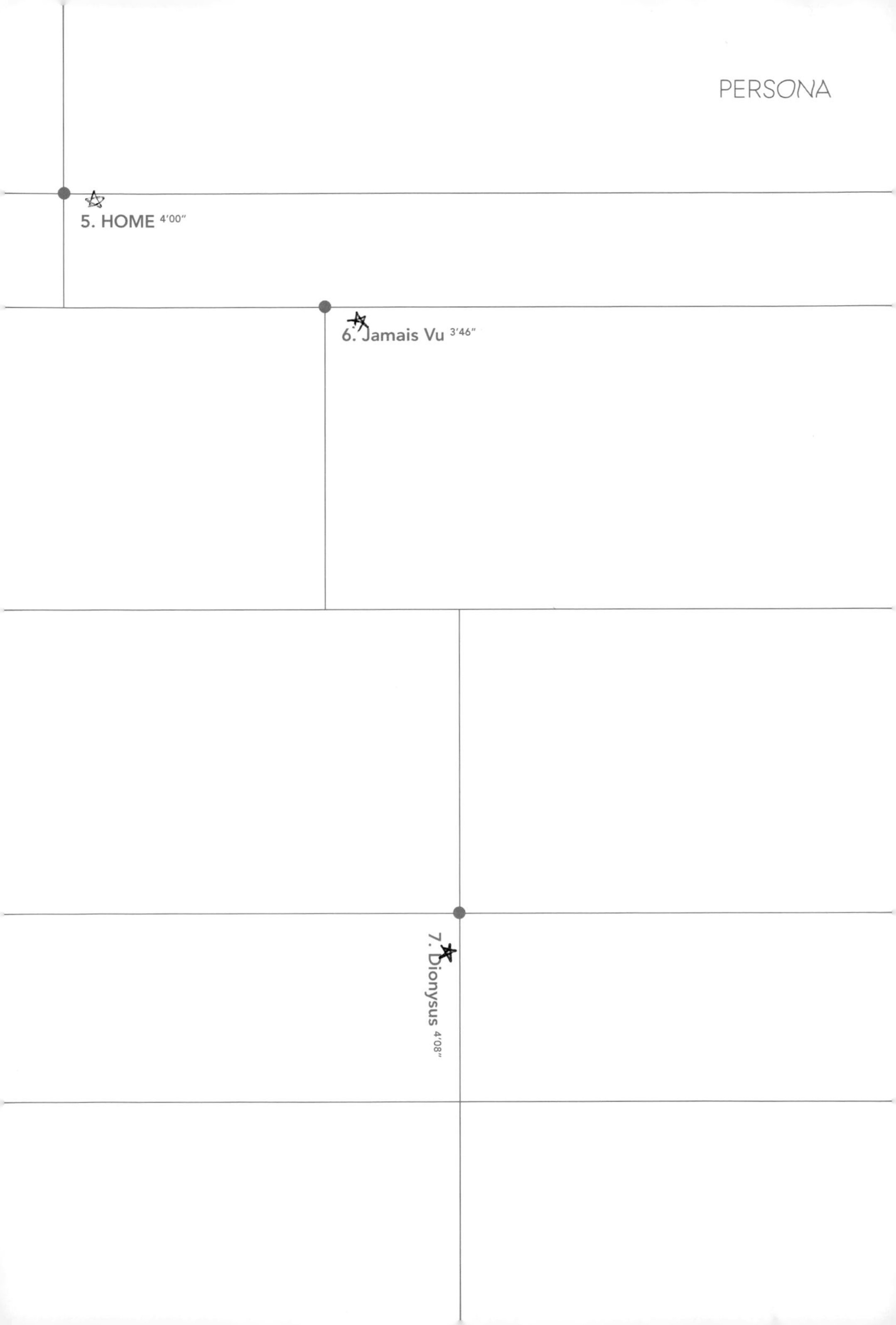
PERSONA
5. HOME 4'00"
6. Jamais Vu 3'46"
7. Dionysus 4'08"

01 Intro : Persona

Produced by Hiss noise
(Hiss noise, RM, Pdogg)

Keyboard
Hiss noise

Synthesizer
Hiss noise

Guitar
Hiss noise, 이태욱

Rap Arrangement
RM

Recording Engineers
Hiss noise @ Analog lab
RM @ RKive
김지연 @ Big Hit Studio

Digital Editing
Hiss noise

*** Contains a sample from BTS "Intro : Skool Luv Affair"**

나는 누구인가 평생 물어온 질문
이미 평생 정답은 찾지 못할 그 질문
나란 놈을 고작 말 몇 개로 답할 수 있었다면
신께서 그 수많은 아름다움을
다 만드시진 않았겠지
How you feel? 지금 기분이 어때
사실 난 너무 좋아 근데 조금 불편해
나는 내가 개인지 돼진지
뭔지도 아직 잘 모르겠는데
남들이 와서 진주목걸일 거네
칵 퉤

예전보단 자주 웃어
소원했던 Superhero
이젠 진짜 된 것 같어
근데 길수록 뭔 밀들이 많어
누군 달리라고 누군 멈춰서라 해
얘는 숲을 보라고 걔는 늘꽃을 보라 해
내 그림자, 나는 망설임이라 쓰고 불렀네
걘 그게 되고 나서 망설인 적이 없었네
무대 아래든 아님 조명 아래든 자꾸 나타나
아지랑이처럼 뜨겁게 자꾸 날 노려보네
(Oh shit)
야 이 짓을 왜 시작한 건지 벌써 잊었냐
넌 그냥 들어주는 누가 있단 게 막 좋았던 거야
가끔은 그냥 싹 다 헛소리 같아
취하면 나오는 거 알지.. 치기 같아
나 따위가 무슨 music, 나 따위가 무슨 truth
나 따위가 무슨 소명, 나 따위가 무슨 muse
내가 아는 나의 흠 어쩜 그게 사실 내 전부
세상은 사실 아무 관심 없어, 나의 서툼
이제 질리지도 않는 후회들과
매일 밤 징그럽게 뒹굴고
돌릴 길 없는 시간들을 습관처럼 비틀어도
그때마다 날 또 일으켜 세운 것, 최초의 질문
내 이름 석 자 그 가장 앞에 와야 할 But

So I'm askin' once again yeah
Who the hell am I?
Tell me all your names baby
Do you wanna die?
Oh do you wanna go?
Do you wanna fly?
Where's your soul? where's your
dream?
Do you think you're alive?

My name is R
내가 기억하고 사람들이 아는 나
날 토로하기 위해 내가 스스로 만들어낸 나
Yeah 난 날 속여왔을지도 뻥쳐왔을지도
But 부끄럽지 않아 이게 내 영혼의 지도
Dear myself 넌 절대로 너의 온도를 잃지 마
따뜻히도 차갑게도 될 필요 없으니까
가끔은 위선적이어도 위악적이어도
이게 내가 걸어두고 싶은 내 방향의 척도
내가 되고 싶은 나, 사람들이 원하는 나
니가 사랑하는 나, 또 내가 빚어내는 나
웃고 있는 나, 가끔은 울고 있는 나
지금도 매분 매순간 살아 숨쉬는

Persona
Who the hell am I
I just wanna go I just wanna fly
I just wanna give you all the
voices till I die
I just wanna give you all the
shoulders when you cry

Persona
Who the hell am I
I just wanna go I just wanna fly
I just wanna give you all the
voices till I die
I just wanna give you all the
shoulders when you cry

02 작은 것들을 위한 시 (Boy With Luv) feat. Halsey

Produced by Pdogg
(Pdogg, RM, Melanie Joy Fontana, Michel "Lindgren" Schulz, "hitman"bang, SUGA, Emily Weisband, j-hope, Halsey)

Keyboard
Pdogg

Synthesizer
Pdogg

Guitar
이태욱

Chorus
Jung Kook, Melanie Joy Fontana, Halsey

Vocal Arrangement
Pdogg

Rap Arrangement
Pdogg, RM

Recording Engineers
Pdogg @ Dogg Bounce
RM @ RKive
박진세 @ Big Hit Studio
Michel "Lindgren" Schulz @ The One With The Big Bulb
Alex Williams @ The Village Studios Los Angeles, CA

Digital Editing
Pdogg, ADORA

*** Halsey appears courtesy of Capitol Records**
17 BLACK MUSIC/SONGS OF UNIVERSAL, INC. (BMI)

모든 게 궁금해 How's your day
Oh tell me
뭐가 널 행복하게 하는지
Oh text me

Your every picture
내 머리맡에 두고 싶어 oh bae
Come be my teacher
네 모든 걸 다 가르쳐줘
Your 1, your 2

Listen my my baby 나는
저 하늘을 높이 날고 있어
(그때 니가 내게 줬던 두 날개로)
이제 여긴 너무 높아
난 내 눈에 널 맞추고 싶어
Yeah you makin' me a boy with luv

Oh my my my oh my my my
I've waited all my life
네 전부를 함께하고 싶어
Oh my my my oh my my my
Looking for something right
이제 조금은 나 알겠어

I want something stronger
Than a moment,
Than a moment, love
I have waited longer
For a boy with
For a boy with luv

널 알게 된 이후 ya
내 삶은 온통 너 ya
사소한 게 사소하지 않게
만들어버린 너라는 별
하나부터 열까지 모든 게 특별하지
너의 관심사 걸음걸이 말투와
사소한 작은 습관들까지

다 말하지 너무 작던 내가
영웅이 된 거라고 (Oh nah)
난 말하지 운명 따윈
처음부터 내 게 아니었다고 (Oh nah)
세계의 평화 (No way)
거대한 질서 (No way)
그저 널 지킬 거야 난
(Boy with luv)

Listen my my baby 나는
저 하늘을 높이 날고 있어
(그때 니가 내게 줬던 두 날개로)
이제 여긴 너무 높아
난 내 눈에 널 맞추고 싶어
Yeah you makin' me a boy with luv

Oh my my my oh my my my
You got me high so fast
네 전부를 함께하고 싶어
Oh my my my oh my my my
You got me fly so fast
이제 조금은 나 알겠어

Love is nothing stronger
Than a boy with luv
Love is nothing stronger
Than a boy with luv

툭 까놓고 말할게
나도 모르게 힘이 들어가기도 했어
높아버린 sky, 커져버린 hall
때론 도망치게 해달라며 기도했어
But 너의 상처는 나의 상처
깨달았을 때 나 다짐했던걸
니가 준 이카루스의 날개로
태양이 아닌 너에게로
Let me fly

Oh my my my oh my my my
I've waited all my life
네 전부를 함께하고 싶어
Oh my my my oh my my my
Looking for something right
이제 조금은 나 알겠어

I want something stronger
Than a moment,
Than a moment, love
Love is nothing stronger
Than a boy with luv

03 소우주 (Mikrokosmos)

Produced by Arcades
(Matty Thomson, Max Lynedoch Graham, Marcus McCoan,
Ryan Lawrie, Camilla Anne Stewart, RM, SUGA, j-hope, Jordan "DJ Swivel" Young,
Candace Nicole Sosa, Melanie Joy Fontana, Michel "Lindgren" Schulz)

Guitar
Max Graham, Matt Thomson

Keyboard
Max Graham, Matt Thomson

Percussion
Max Graham, Matt Thomson

Chorus
Jung Kook, Max Graham, Matt Thomson,
Marcus McCoan, Ryan Lawrie, ADORA

Gang Vocal
BTS, Pdogg, Hiss noise, ADORA

Programming
Max Graham, Matt Thomson

Vocal Arrangement
Pdogg

Rap Arrangement
Pdogg, RM

Recording Engineers
Pdogg @ Dogg Bounce
RM @ RKive
Hiss noise @ Analog lab
ADORA @ Adorable Trap

Digital Editing
Hiss noise, EL CAPITXN

반짝이는 별빛들
깜빡이는 불 켜진 건물
우린 빛나고 있네
각자의 방 각자의 별에서

어떤 빛은 야망
어떤 빛은 방황
사람들의 불빛들
모두 소중한 하나

어두운 밤 (외로워 마)
별처럼 다 (우린 빛나)
사라지지 마
큰 존재니까
Let us shine

어쩜 이 밤의 표정이 이토록 또 아름다운 건
저 별들도 불빛도 아닌 우리 때문일 거야

You got me
난 너를 보며 꿈을 꿔
I got you
칠흑 같던 밤들 속
서로가 본 서로의 빛
같은 말을 하고 있었던 거야 우린

가장 깊은 밤에 더 빛나는 별빛
가장 깊은 밤에 더 빛나는 별빛
밤이 깊을수록 더 빛나는 별빛

한 사람에 하나의 역사
한 사람에 하나의 별
70억 개의 빛으로 빛나는
70억 가지의 world

70억 가지의 삶 도시의 야경은
어쩌면 또 다른 도시의 밤
각자만의 꿈 let us shine
넌 누구보다 밝게 빛나
One

어쩜 이 밤의 표정이 이토록 또 아름다운 건
저 어둠도 달빛도 아닌 우리 때문일 거야

You got me
난 너를 보며 꿈을 꿔
I got you
칠흑 같던 밤들 속
서로가 본 서로의 빛
같은 말을 하고 있었던 거야 우린

가장 깊은 밤에 더 빛나는 별빛
가장 깊은 밤에 더 빛나는 별빛
밤이 깊을수록 더 빛나는 별빛

도시의 불, 이 도시의 별
어릴 적 올려본 밤하늘을 난 떠올려
사람이란 불, 사람이란 별로
가득한 바로 이 곳에서
We shinin'

You got me
난 너를 보며 숨을 쉬어
I got you
칠흑 같던 밤들 속에

Shine, dream, smile
Oh let us light up the night
우린 우리대로 빛나
Shine, dream, smile
Oh let us light up the night
우린 그 자체로 빛나
Tonight

Na na na na na na
Na na na na na na na
Na na na na na na
Na na na na na na na na

Na na na na na na
Na na na na na na na
Na na na na na na
Na na na na na na na na

04 Make It Right

Produced by FRED
(Fred Gibson, Ed Sheeran, Benjy Gibson, Jo Hill, RM, SUGA, j-hope)

Drum
FRED

Keyboard
FRED

Synthesizer
FRED

Programming
FRED

Chorus
Jung Kook

Vocal Arrangement
Pdogg

Rap Arrangement
Pdogg, RM

Recording Engineers
Pdogg @ Dogg Bounce
RM @ RKive
Hiss noise @ Analog lab

Digital Editing
Hiss noise, EL CAPITXN

내가 날 눈치챘던 순간
떠나야만 했어
난 찾아내야 했어
All day all night

사막과 바다들을 건너
넓고 넓은 세계를
헤매어 다녔어
Baby I

I could make it better
I could hold you tighter
그 먼 길 위에서
Oh you're the light

초대받지 못한
환영받지 못한
나를 알아줬던 단 한 사람

끝도 보이지 않던 영원의 밤
내게 아침을 선물한 건 너야
이제 그 손 내가 잡아도 될까
Oh oh
I can make it right

All right
All right
Oh I can make it right

All right
All right
Oh I can make it right

이 세상 속에 영웅이 된 나
나를 찾는 큰 환호와
내 손, 트로피와 금빛 마이크
All day, everywhere
But 모든 게 너에게 닿기 위함인 걸
내 여정의 답인 걸
널 찾기 위해 노래해
Baby to you

전보다 조금 더 커진 키에
좀 더 단단해진 목소리에
모든 건 네게 돌아가기 위해
이제 너라는 지도를 활짝 펼칠게
My rehab
날 봐 왜 못 알아봐
남들의 아우성 따위 나 듣고 싶지 않아
너의 향기는 여전히 나를 꿰뚫어 무너뜨려
되돌아가자 그때로

Baby I know
I can make it better
I can hold you tighter
그 모든 길은 널
향한 거야

다 소용없었어
너 아닌 다른 건
그때처럼 날 어루만져줘

끝도 보이지 않던 영원의 밤
내게 아침을 선물한 건 너야
이제 그 손 내가 잡아도 될까

Oh oh
I can make it right

All right
All right
Oh I can make it right

All right
All right
Oh I can make it right

여전히 아름다운 너
그날의 그때처럼 말없이 그냥 날 안아줘
지옥에서 내가 살아 남은 건
날 위했던 게 아닌 되려 너를 위한 거란 걸
안다면 수서 말고 please save my life
너 없이 헤쳐왔던 사막 위는 목말라
그러니 어서 빨리 날 삽아줘
너 없는 바다는 결국 사막과 같을 거란 걸 알아

All right
I can make it better
I can hold you tighter
Oh I can make it right

다 소용없었어
너 아닌 다른 건
Oh I can make it right

05 HOME

Produced by Pdogg
(Pdogg, RM, Lauren Dyson, Tushar Apte, SUGA, j-hope, Krysta Youngs, Julia Ross, 정바비, 송재경, ADORA)

Keyboard
Pdogg

Synthesizer
Pdogg

Chorus
Jung Kook, ADORA

Vocal Arrangement
Pdogg

Rap Arrangement
Pdogg, RM

Recording Engineers
Pdogg @ Dogg Bounce
RM @ RKive
Hiss noise @ Analog lab
ADORA @ Adorable Trap

Digital Editing
ADORA, 정우영

미칠 듯한 설레임에
인사조차 못했어
Yeah I'm going out baby
온 세상이 내 집

Crazy for myself
저 문을 열면 뭐든 다 될 것처럼
마치 무슨 본때를 보여줄 것처럼
집을 나섰지
(이 모든 상상이 다 신기루로 끝나지 않길)

Oh yeah I did it,
me shine with flashin' lights
Got lotta friends 고즈넉한 내 공간
그래 기억해 뭐든 다 할 수 있을 것만 같던 때
I saw the ocean yeah
이 문을 열기도 전에
Oh yeah

뭔가 채울수록 더 비어가
함께일수록 더 혼자인 것 같아
반쯤 감긴 눈, 잠 못 드는 밤
니가 있는 곳

아마 그곳이 Mi Casa
With you I'mma feel rich
바로 그곳이 Mi Casa
미리 켜둬 너의 switch
Yeah

말을 안 해도 편안할 거야
너만 있다면 다 내 집이 될 거야
You know I want that
Home
You know you got that
Home

Your love your love your love
(I miss that)
Your love your love your love
(I want that)
Your touch your touch your touch
(I need that)
La la la la la la la la I love it

불 꺼진 현관에 내 발이 이상해
눈 감고 이불 안에 있어도 이상해
둥 붕 뜬 기분 빙 도는 두 눈
이 멋진 공간에 나 완전 초라해

완전 초라해
세상은 우리가 세상을 다 가진 줄 아는군
꿈에 그리넌
Big house, big cars, big rings
내가 원한 건 모든 걸 가져도
뭔가 허전한 지금
모든 걸 이룬 자가 느낀 낯선 기분
But 지금 떠나도 돌아올 곳이 있기에
나서는 문

갈림길에서 자꾸 생각나
볼품없던 날 알아줬던 너
니 생각에 웃을 수 있었어
니가 있는 곳

아마 그곳이 Mi Casa
With you I'mma feel rich
바로 그곳이 Mi Casa
미리 켜둬 너의 switch
Yeah

말을 안 해도 편안할 거야
너만 있다면 다 내 집이 될 거야
You know I want that
Home
You know you got that
Home

그 언젠가
초인종이 세 번 울리면
문을 열어주겠니
미처 못한 인사를 전할 수 있게
그땐 말할게

오랜만이야 Mi Casa
With you I just feel rich
다녀왔어 HI Mi Casa
켜뒀구나 너의 switch
Yeah

말을 안 해도 편안하잖아
니가 있어서 나의 집이 된 거야
You know I want that
Home
You know you got that
Home

Your love your love your love
(I miss that)
Your love your love your love
(I want that)
Your touch your touch your touch
(I need that)
La la la la la la la la I love it

06 Jamais Vu

Produced by Arcades, Bad Milk, Marcus McCoan
(Marcus McCoan, Owen Roberts, Matty Thomson, Max Lynedoch Graham, Camilla Anne Stewart, RM, j-hope, "hitman"bang)

Guitar
Max Graham, Matt Thomson, 이태욱

Keyboard
Max Graham, Matt Thomson, Owen Roberts, Marcus McCoan, Hiss noise

Percussion
Max Graham, Matt Thomson, Owen Roberts, Marcus McCoan

Chorus
Jung Kook, Marcus McCoan, ADORA

Vocoder
Matt Thomson, Max Graham

Programming
Max Graham, Matt Thomson, Owen Roberts, Marcus McCoan

Vocal & Rap Arrangement
Pdogg

Recording Engineers
Pdogg @ Dogg Bounce
Hiss noise @ Analog lab
ADORA @ Adorable Trap
김지연 @ Big Hit Studio

Digital Editing
Hiss noise, 정우영

또 져버린 것 같아
넌 회기 나 보여
아른대는 Game over over over

만약 게임이라면
또 load하면 되겠지만
I guess I gotta
deal with this, deal with this
Real world

차라리 게임이면 좋겠지
너무 아프니까
I need to heal my medic
But I'm another star
완벽하지 못했던 나를 탓해
Brake in my head,
brake in my step, always
그저 잘하고 싶었고
웃게 해주고 싶었는데.. damn

Please give me a remedy
멈춰버린 심장을 뛰게 할 remedy
이제 어떻게 해야 해
날 살려줘 다시 기회를 줘
Please give me a

A remedy, a melody
오직 내게만 남겨질 그 memory
이쯤에서 그만하면
꺼버리면 모든 게 다 편해질까

괜찮지만 괜찮지 않아
익숙하다고 혼잣말했지만
늘 처음인 것처럼 아파

부족한 gamer, 맞아 날 control 못하지
계속 아파 'Cause 시행착오와 오만 가지
내 노래 가사, 몸짓 하나
말 한마디 다 내 미시감에 무서워지고
또 늘 도망가려 해
But 잡네, 그래도 네가
내 그림자는 커져가 내 삶과 넌 equal sign
So 내 remedy는 your remedy

Please give me a remedy
멈춰버린 심장을 뛰게 할 remedy
이제 어떻게 해야 해
날 살려줘 다시 기회를 줘
Please give me a

(Remedy)
또 다시 뛰고, 또 넘어지고
(Honestly)
수없이 반복된대도
난 또 뛸 거라고

So give me a remedy
멈춰버린 심장을 뛰게 할 remedy
이제 어떻게 해야 해
날 살려줘 디시 기회를 줘

Please give me a remedy
(성공인가. 돌아왔어)
멈춰버린 심장을 뛰게 할 remedy
(집중해서 꼭 네게 닿고 말겠어.
떨어지고, 넘어지고)
이제 어떻게 해야 해
(익숙한 아픔이 똑같이 날 덮쳐)
날 살려줘
(이번에도 쉽지 않아)
다시 기회를 줘
(관둘 거냐고? No, no never)
I won't give up

07 Dionysus

Produced by Pdogg
(Pdogg, j-hope, Supreme Boi, RM, SUGA, Roman Campolo)

Keyboard
Pdogg

Synthesizer
Pdogg

Guitar
Phil X

Chorus
Jung Kook, j-hope, RM

Gang Vocal
RM, j-hope, Pdogg, Hiss noise, Supreme Boi

Vocal Arrangement
Pdogg

Rap Arrangement
Supreme Boi, RM

Recording Engineers
Pdogg @ Dogg Bounce
RM @ RKive
Supreme Boi @ The Rock Pit
Phil X @ Mr. Sandwich Studios

Digital Editing
Hiss noise, EL CAPITXN, Supreme Boi

쭉 들이켜
술잔 (sippin') 팔짱 (tippin')
한 입
티르소스 (grippin') 포도 (eatin')
쭉 들이켜
분위기 (keep it) D style (rip it)
한 입
여기 (kill it) let's steal it
The illest

그냥 취해 마치 디오니소스
한 손에 술잔, 다른 손에 든 티르소스
투명한 크리스탈 잔 속 찰랑이는 예술
예술도 술이지 뭐, 마시면 취해 fool
You dunno you dunno you dunno
what to do with
내가 보여줄게 난 전혀 다른 걸 추진
이이비와 기친 나무로 된 mic
절대 단 한 숨에 나오는 소리 따윈 없다

해가 뜰 때까지 where the party at
잠이 들 때까지 where the party at
Sing it 불러 다시
Drink it 마셔 다시
우린 두 번 태어나지

쭉 들이켜 (창작의 고통)
한 입 (시대의 호통)
쭉 들이켜 (나와의 소통)
한 입 (Okay now I'm ready fo sho)

다 마셔 마셔 마셔 마셔 내 술잔 ay
다 빠져 빠져 빠져 미친 예술가에
한 잔 (one shot) 두 잔 (two shots)
예술에 취해 불러 옹헤야

다 마셔 마셔 마셔 마셔 내 술잔 ay
다 빠져 빠져 빠져 미친 예술가에
한 잔 (one shot) 두 잔 (two shots)
꽹과리 치며 불러 옹헤야

술잔 (sippin'), 팔짱 (tippin')
티르소스 (grippin'), 포도 (eatin')
분위기 (keep it), D style (rip it)
여기 (kill it) let's steal it
The illest

난 지금 세상의 문 앞에 있어
무대에 오를 때 들리는 환호성
Can't you see my stacked
broken thyrsus
이제 난 다시 태어나네 비로소

When the night comes
mumble mumble mumble
When the night comes
tumble tumble tumble
Studio를 채운 저음 저음 저음
Bass drum goes like 덤덤덤

해가 뜰 때까지 where the party at
잠이 들 때까지 where the party at
Sing it 불러 다시
Drink it 마셔 다시
우린 두 번 태어나지

쭉 들이켜 (창작의 고통)
한 입 (시대의 호통)
쭉 들이켜 (나와의 소통)
한 입 (Okay now I'm ready fo sho)

다 마셔 마셔 마셔 마셔 내 술잔 ay
다 빠져 빠져 빠져 미친 예술가에
한 잔 (one shot) 두 잔 (two shots)
예술에 취해 불러 옹헤야

다 마셔 마셔 마셔 마셔 내 술잔 ay
다 빠져 빠져 빠져 미친 예술가에
한 잔 (one shot) 두 잔 (two shots)
꽹과리 치며 불러 옹헤야

우리가 떴다 하면 전세계 어디든지
Stadium party ay
Kpop 아이돌로 태어나 다시 환생한 artist
다시 환생한 artist 다시 환생한 artist
내가 아이돌이든 예술가이든 뭐가 중요해 짠해
예술도 이 정도면 과음이지 과음 yeah
새 기록은 자신과 싸움이지 싸움 yeah
축배를 들어올리고 one shot
허나 난 여전히 목말라
What

다 마셔 마셔 마셔 마셔 내 술잔 ay
다 빠져 빠져 빠져 미친 예술가에
한 잔 (one shot) 두 잔 (two shots)
예술에 취해 불러 옹헤야

다 마셔 마셔 마셔 마셔 내 술잔 ay
다 빠져 빠져 빠져 미친 예술가에
한 잔 (one shot) 두 잔 (two shots)
꽹과리 치며 불러 옹헤야

술잔 (sippin'), 팔짱 (tippin')
티르소스 (grippin'), 포도 (eatin')
분위기 (keep it), D style (rip it)
여기 (kill it) let's steal it
The illest

술잔 (sippin'), 팔짱 (tippin')
티르소스 (grippin'), 포도 (eatin')
분위기 (keep it), D style (rip it)
여기 (kill it) let's steal it
The illest

Thanks to.
RM

유난히 힘이 들었던 앨범이지만, 부디 그래서 더 빛나길 바라봅니다.

여전히 나의 근간을 이루는 가장 사랑하는 나의 가족들과 나의 외할머니, 친척 식구들에게.
또 어느 때 어느 곳에서나 내게 진심보다 더 진심 같은 응원을 보내주는 나의 친구들에게.

큰 감사와 사랑을 보냅니다.

이 글을 보고 계시는 여러분의 사랑 덕분에 빅히트의 몸집은 많이 거대해졌습니다.
이제 이 앨범을 위해 필드 최전선에서, 혹은 최후방에서 치열히 노고해주시는 모든 분들의 이름과 얼굴을
비록 제가 다 알지는 못합니다.
다만 이 글씨, 이 종이가 여러분이 아니었다면 지금 당신께 전해지지 못했을 것이라는 것만큼은 확신합니다.

방피디님과 빅히트의 모든 식구분들께 이루 말할 수 없는 감사와 존경을 보냅니다.
제게 빛을 주셨으니, 열과 성을 다해 빛나겠습니다.

저희를 외부에서 도와주시는 많은 스태프 식구분들과 관계자 분들께도 고개숙여 감사를 표하고 싶습니다.

무엇보다, 여기까지 오기에 참 많이 힘들었던 우리이기에.
때로 가장 가까운 친구이자 가족, 때론 동료이자 파트너, 때론 애이자 증.
다양한 이름표를 달아도 우리가 서로를 위하는 그 마음만큼은 처음부터 진실했던, 방탄소년단 친구들에게도
큰 사랑과 감사를 보냅니다.
부족한 저를 늘 믿어주셔서 감사할 따름입니다.

마지막으로 늘 그랬듯, 지금 이 짧은 글을 읽어주시는 여러분.
나의 날개, 나의 영웅, 우리의 아미.
이 앨범은 그동안의 어떤 앨범보다도 더 여러분을 향해 열렬히 헌사하고 싶은, 오롯이 여러분을 위한 앨범입니다.
부디 소중히 받아주시고, 보아주시고, 들어주시길. 그래야 이 작은 작품집에게도 생명이 생기지 않을까요.
곁에 있어주셔서 고맙고, 존경하고, 또 사랑합니다.

우리가 이렇게 또 하나의 이야기로, 또 하나의 방식으로 소통하고 있다고 믿고 있을게요.
이렇게 제 팬레터를 읽어주셔서 고마워요.
여러분의 소식도 기다리고 있을게요.
사랑합니다.

Thanks to.

Jin

우선 이 앨범에 도움을 주신 모두 감사드립니다
방피디님을 포함한 저희 회사 모든 분들!
그리고 작곡가 형님들 동생님들
앨범 자켓을 찍는 데 도움을 주신 모든 분들!
앨범 인쇄하는 데 도움 주신 모든 분들
옷 헤어 메이크업을 도와주신 모든 분들!
안무와 관련된 모든 분들
저희와 함께 일해주시는 모든 분들!
모두 감사드립니다
회사 분들이 너무 많아져서 이름을 모두 적지 못해 죄송합니다
그리고 우리 앨범을 들어주는 아미
항상 앨범을 준비할 때 가장 설렙니다
아미가 저희의 앨범을 어떻게 들어주실까 너무 두근거립니다
앞으로도 더 좋은 앨범
더 좋은 앨범과 관련된 모든 것을 들고 오겠습니다
사랑해요 알라뷰

Thanks to.
SUGA

사랑하는 우리 가족 그리고 빅히트 식구분들께 먼저 감사의 말씀드립니다
이번 앨범을 준비하면서 방탄의 음악이 주는 에너지와 선한 영향력에 대해서 다시 한번 생각하게 되었습니다
보잘것없는 방탄이었지만 누군가의 영웅이 되었고
사실 따지고 보면 영화에 나오는 슈퍼 히어로처럼 지구를 지켜낸 것도 아닌데
큰 응원을 해주셔서 얼떨떨할 때도 많습니다

음악이 주는 위로 감동 힘을 너무 잘 알기에
위로와 감동 힘을 주는 음악을 하고 싶었습니다
이번 앨범이 여러분들께 작은 힘이 되었으면 좋겠습니다

그리고 아미 여러분
이렇게 영광스러운 날들을 살게 해주는 아미 여러분들께 큰 감사의 말 전합니다
우리의 음악이 전 세계에 울려 퍼지는 건 그만큼 저희를 사랑해주시는 분들이 전세계에 있다는 뜻이겠지요
더 많은 세계의 아미 여러분들을 만나고 싶습니다!!

사실 아미 여러분들이 없었으면 이번 앨범은 존재하지 않겠지요
우리의 음악 우리의 무대 이 모든 것들이 아미 여러분이 존재하기에 존재할 수 있는 것들입니다
항상 감사하고 사랑합니다

이번 앨범도 마음껏 즐겨주세요
감사합니다

Thanks to.
j-hope

MAP OF THE SOUL !!!

또 하나의 새로운 앨범을 위해 피땀 흘려 가며 고생해주신 분들이 정말 많습니다!!
그 분들의 노고와 고생을 이 Thanks to에 담아 감사한 마음을 전해보려고 합니다

200명이 되어가는 회사 직원분들 어느 누구 하나 고생을 안 해주신 분은 없으실 텐데
앨범 땡스투이니 앨범 관련 작업에 힘써주신, 저와 관련된 분들을 위주로 말씀드리겠습니다

일단 좋은 음악 프로듀싱해준
방시혁피디님, PDOGG피디님, SUPREME BOI, ADORA, HISS형

빅히트 A&R 팀
주영이형, 현정누나

빅히트 VC 팀
성현이형, 선경누나, 가은누나, 혜리님

빅히트 퍼포먼스디렉팅 팀
성득쌤, 병은이형, 두환이형

빅히트 스튜디오파트
창원이형, 우영이형, 진세형

멋진 뮤비
룸펜스감독님, GDW감독님

멋진 사진
김희준실장님, 박자욱실장님

헤어,메이크업 스태프분들
박내주원장님, 지혜누나, 진영이형, 은비님, 다름실장님, 현아누나, 진선님

스타일팀분들
하정누나, 혜수누나, 서연누나, 실님, 주연님

정말 감사합니다

더 좋은 말과 감사의 말들은 직접 연락드리며 인사 드리겠습니다!

그리고 아미!!!
이번 음반은 특히나 더, 여러분들에게 하는 이야기들이 많은 거 같아요
여러분들 있기에 할 수 있는 이야기들이고 또 덕분에 큰 힘이 되어 작업할 수도 있었습니다
늘 감사하고 사랑합니다

그리고 우리 방탄 2019년 첫 음반이니 파이팅 해보자 고맙다!!!
가장~~

Thanks to.
Jimin

이번 앨범을 위해 그리고 지금의 방탄과 제가 있게 도와주신
방시혁 피디님을 비롯한 회사 식구분들
회사 작곡가분들
헤어, 메이크업, 스타일리스트 스태프분들
매니저형들
룸펜스감독님, 현우감독님
희준작가님

이번 앨범을 잘 준비할 수 있게 도와주신
뿐만 아니라 지금의 저희가 있을 수 있게 도와주신 여러분께
꼭 해드리고 싶은 얘기가 있었어요
지금의 저희가 여기에 있을 수 있는 가장 큰 이유 중 하나는 옆에 있는 여러분들이 최고이기 때문이에요
그렇기 때문에 저희가 하는 모든 일들에 더 자신감을 가지고 할 수 있었습니다.
최고의 스태프분들을 저희 옆에 두고 일할 수 있어서 영광이고 옆에 있어주셔서 진심으로 감사드립니다.
그런 여러분과 함께 하기 때문에 더 괜찮은 가수가 되고 싶고 더 위로 올라가고 싶다는 생각이 많습니다.
앞으로도 옆에서 저희의 부족한 부분을 채워주세요 항상 감사합니다.

우리 멤버들

여러분에게 이런 말은 해본 적이 없는 것 같은데요
이 글을 읽으실지는 모르겠지만 제가 많이 존경합니다.

가수로, 가장 아끼는 친구이자 형이자 동생으로, 사람으로 정말 다방면으로 많이 배우게 되는 것 같아요.

그래서 새삼 여러분들과 함께하고 있는 것이 감사할 때가 많아요.
옆에 있어 주셔서 감사하고 앞으로도 여러분들과 오랫동안 함께하고 싶습니다.
진심으로 고마워요 여러분.

우리 아미 여러분

저는 요즘 참 많이 즐겁고 행복한 것 같습니다.
그냥 무엇을 하든 무엇을 안 하든 여러분들과 함께하고 있는 시간들이라서 다 너무 좋고 행복합니다.
참 신기한 것 같아요 원래는 항상 무언가를 해야 하고 불안해하는 사람이었는데 지금은 그렇지가 않아요.
이제서야 제 옆에 많은 사람들이 있다는 것을 알게 되었나 봐요.
이게 다 여러분들 덕분이에요.
진심으로 감사해요.

제가 제일 사랑하는 사람들이라서 항상 행복하게 해주고 싶은 여러분을 위해서
이번 앨범도 더 좋은 앨범으로 다가갈 수 있게 열심히 작업했습니다.
그러니까 이번 노래들 들으면서 꼭 힐링하셨으면 좋겠습니다.

기다려주신 이번 앨범을 듣고 계신 모든 아미 여러분 사랑합니다.
얼른 보고싶습니다.

Thanks to.

좋은 사람들과 추억들을 많이 만들 수 있어서 이건 모두 다 추억들을 생기게 해준 저를 키워준 가족들에게 정말 감사하다고 말씀드려야겠어요.
예쁜 손자 또는 아들 바르게 커서 멋진 사람 되겠습니다.
저에게 도움을 주신 모든 회사 분들 그리고 사랑하는 멤버들 2019년 좋은 추억 함께 많이 만들었음 좋겠고 더욱 더 예쁜 사람이 되겠습니다.

아미 제 추억들은 아미의 추억과 같았음 좋겠고 아미의 추억 또한 제 추억이랑 같다고 생각해요.
모든 날 모든 순간같이 함께 해주셔서 감사하고 사랑하는 마음 가득 담아 2019년 더 좋은 모습 많이 보여드릴게요.
표현하고 싶은 마음은 너무나 많고 크지만 항상 이렇게 말로만 많이 표현했는데 꼭 받은 사랑만큼 아미에게 좋은 무대, 좋은 곡, 좋은 사람으로 보답할게요.
이 글을 읽은 하루는 정말 좋은 하루만 가득하길 빌어요 보라해요♥

Thanks to.
Jung Kook

방피디님을 비롯해서 빅히트의 모든 식구분들
한 분 한 분 이름을 새겨 고마움을 전하고 싶지만
점점 인원수가 많아지다 보니 앞으로는 이 앨범을 준비하면서 저랑 직접 관련된 분들만 이름을 새겨야 될 것 같아요
빅히트를 위해서 그리고 아티스트를 위해서 각자 맡은 분야에서 최선을 다해 힘써주셔서 정말 감사드립니다
앞으로도 잘 부탁드리고 저희 방탄소년단도 더 열심히 하고 잘하도록 하겠습니다
건강 잘 챙기시고 아프지 마시고 정말 정말 감사드립니다!

매니저 형님들
신규형, 호범이형, 세진이형, 수빈이형, 민욱이형, 다솔이형, 대영이형, 준태형
저는 요즘 형님들이랑 뭔가 더 가까워지고 있는 것 같아서 너무 기분이 좋아yo 형님들이 있어서 정말 힘이 많이 돼yo
근데 최근에 얼굴들이 많이 핼쑥해지고 표정들이 많이 힘들어 보여서 마음이 아파yo
그래서 요즘 형들이 웃고 서로 장난칠 때를 보는 게 정말 좋고 재밌어yo
코피가 나고 쓰러지고 해도 멤버들은 모르게 아무 말도 하지 않아서 그것 또한 너무 미안했고 고마웠어yo
저희도 형들에게 많은 힘이 됐으면 좋겠어yo
사소하게 술 한잔하는 거라도 밥을 한 끼 같이 먹는 거라도 사소하게나마 힘이 됐으면 좋겠어yo
앞으로도 계속 함께하고 싶어yo 꼭 건강 잘 챙기셔yo 형님들!
안 그러면 제가 마음이 많이 아파yo!

우리 스태프들
다름실장님, 현아누나, 진선님
하정실장님, 혜수누나, 서연누나, 실이누나, 주연님
지혜실장님, 내주원장님, 진영이형, 은비누나
언제나 많이 힘들었을 텐데 지금까지 함께 해주셔서 정말 감사드려요 스태프들의 고생을 모르지 않아요
옆에서 항상 지켜보고 있는데 모를 리가 있나요 힘들 땐 힘든 티를 내고 아플 땐 아픈 티를 내도 되고
서운한 게 있다면 말해도 괜찮습니다 스태프들 덜 힘들게 제가 앞으로 더 잘할게요
평소에 죄송한 부분들이 너무 많아요
건강 잘 챙기시고 아프지 않았으면 좋겠고 밥 좀 잘 챙겨먹고 앞으로도 함께 했으면 좋겠습니다
정말 감사드려요

음악제작팀
피독피디님, 슈프림보이형, 히스형, 수현이
이번에 앨범에 너무 좋은 곡들이 많이 나왔습니다 하나하나 다 너무 좋은 것 같아요
제가 가수로서 이렇게 다양한 음악 좋은 음악들을 경험하게 해주셔서 너무나 감사드립니다
앨범 작업할 때는 그 누구보다 힘들었을 텐데 정말로 고생 많으셨습니다
아프지 마시고 건강 잘 챙기시고 앞으로도 멋진 앨범 함께 만들어 나갔으면 좋겠습니다
감사합니다!

VC팀
성현이형, 가은누나, 선경누나, 혜리누나
현장에서 그리고 저희가 쉴 때 의상, 메이크업, 헤어 모두 다 시안을 짜고 정리하고 현장에서도 체크하고 복잡할 텐데
잘 이끌어주고 정리해주셔서 감사드려요 건강 잘 챙기시고 앞으로도 잘 부탁드립니다!

퍼포먼스팀
성득쌤, 병은이형, 두환이형
안무를 귀엽고 멋지게 짜주시고 정리해주시고 밤늦게까지 몸으로 정말 고생하시는 형님들
그 외 정리를 도와준 댄서들도 너무너무 고맙고 앞으로도 잘 부탁드립니다!
건강 잘 챙기세요!

컨텐츠 사업팀
우정누나, 수린누나, 현지누나, 혜리누나, 지은님, 정인님, 재은님
틈틈이 저희의 평소의 사소한 모습들을 아미들이 볼 수 있게 담아주셔서 감사드립니다 다 피곤할 텐데
앞으로 제가 더 잘할게요 건강 잘 챙기시고 앞으로도 잘 부탁드립니다!

멋있는 뮤비와 자켓을 찍어주신
룸펜스감독님, GDW김독님, 김희준실장님, 박자욱실장님
재밌고 이쁘고 멋진 뮤비와 사진이 나온 것 같습니다
촬영하면서 너무 고생 많으셨고 건강 잘 챙기십쇼!
더 멋지고 잘생겨질게요

컨디셔닝 팀
진우형, 정주형, 월드와이드큐티짜장이
형들이 없었다면 그 수많은 공연들 무사히 소화하지 못했을 거예요
저희의 컨디션을 관리해주셔서 정말 감사드려요 저희도 중요하지만 형들도 스스로 건강 잘 챙기세요!

A&R팀 주영이형, 니콜
스튜디오팀 창원이형, 우영이형, 진세형
저희가 녹음한 음원들을 믹스해주시고 정리해주셔서 감사드립니다!
저희가 놓치고 가는 부분들이 분명 있을 텐데 꼼꼼히 체크해주셔서 고마워요
건강 잘 챙기시고 앞으로도 잘 부탁드립니다!

방탄... 내가 많이 아끼고 존경하는 여섯 남자들... 하루종일 같이 보고 얘기하는데 뭐 별말 필요한가...
스릉흔드...
읊으르드...
근긍흐그...
흠끄흐즈...
그리고 탄이... 뷔형이 넣어달래요... 탄아 너때문에 형이 심장에 무리가 많이 간다...

하나뿐인 내 가족들
엄마, 아빠, 형
더 바라는 것도 없고 아프지 말고 항상 행복했으면 좋겠다
내가 더 자주 연락하고 행복하게 해줄게
사랑한다 많이

♡아미♡
이번에도 어김없이 정말 좋은 곡들이 많이 나왔어요!!! 좋은 사진도 나오고 좋은 뮤비도 나왔어요!!!
여러분들이 듣고 보고 나서 더 행복해지셨으면 좋겠어요!!! 제가 많이 아끼는 거 알죠?!!!
또 새로운 곡들을 가지고 여러분들 앞에서 춤추고 노래하는 상상을 하면 너무나 행복합니다!!!
저희가 하는 모든 것들이 여러분들께 많은 힘이 됐으면 좋겠어요!!!
그리고 개인적으로도 더 성장해서 새로운 모습 많이 보여드릴게요!!! 기대 많이 해주세요!!!
여러분들이 기대를 해야 제가 움직여요!!! 게으름뱅이여서 이렇게 먼저 말해야 돼요!!!
우리 아미가 저의 선생님들이 돼주는 거예요!!! 알겠죠?!!!
지금까지 소통하고 교감하고 바라보고 울고 웃고 여러분들과 함께한 수많은 시간들이 지금의 저희를 만든 것 같습니다!!!
앞으로도 함께 해주실 거죠?!!! 믿을게요?!!! 사랑합니다!!!
건강 맨날하고 행복한 하루하루 보내세요!!! 제가 더 행복하게 할게요!!!
아미 사랑합니다!!!
우리 모두 다 아프지말고 행복해요!!!

Credits

EXECUTIVE PRODUCER
"HITMAN"BANG FOR BIGHIT ENTERTAINMENT
CHIEF BUSINESS OFFICER
LENZO YOON

MUSIC PRODUCTION
김서영, 최승린, 안인용, 이아람
A&R
이주영, NICOLE KIM, GIA LIM, HIJU YANG
RECORDING ENGINEERS
양창원, 김지연, 박진세, 정우영
VISUAL CREATIVE
김성현, 이선경, 김가은, 이혜리
ARTIST MANAGEMENT
김신규, 김세진, 김대영, 김수빈, 박준태, 방민욱, 이중민, 안다솔

PRODUCER
PDOGG
CO-PRODUCER
"HITMAN"BANG

MASTERING ENGINEER
Randy Merrill @ Sterling Sound, New York, USA

PHOTO
김희준, 박자욱

STYLIST
이하정, 김혜수, 이서연, 홍실, 신주연
HAIR
박내주, 김지혜, 서진영, 성은비
MAKE UP
김다름, 백현아, 박진선

ART WORK
J&Brand, CFC

OFFICIAL WEBSITE
http://bts.ibighit.com

OFFICIAL FACEBOOK
https://www.facebook.com/bangtan.official

OFFICIAL TWITTER
https://twitter.com/BTS_bighit

BTS TWITTER
https://twitter.com/BTS_twt

OFFICIAL JAPAN TWITTER
https://twitter.com/BTS_jp_official

OFFICIAL YOUTUBE
https://www.youtube.com/user/BANGTANTV

OFFICIAL INSTAGRAM
https://www.instagram.com/bts.bighitofficial

OFFICIAL WEIBO
https://weibo.com/BTSbighit

OFFICIAL YOUKU
https://i.youku.com/btsofficial